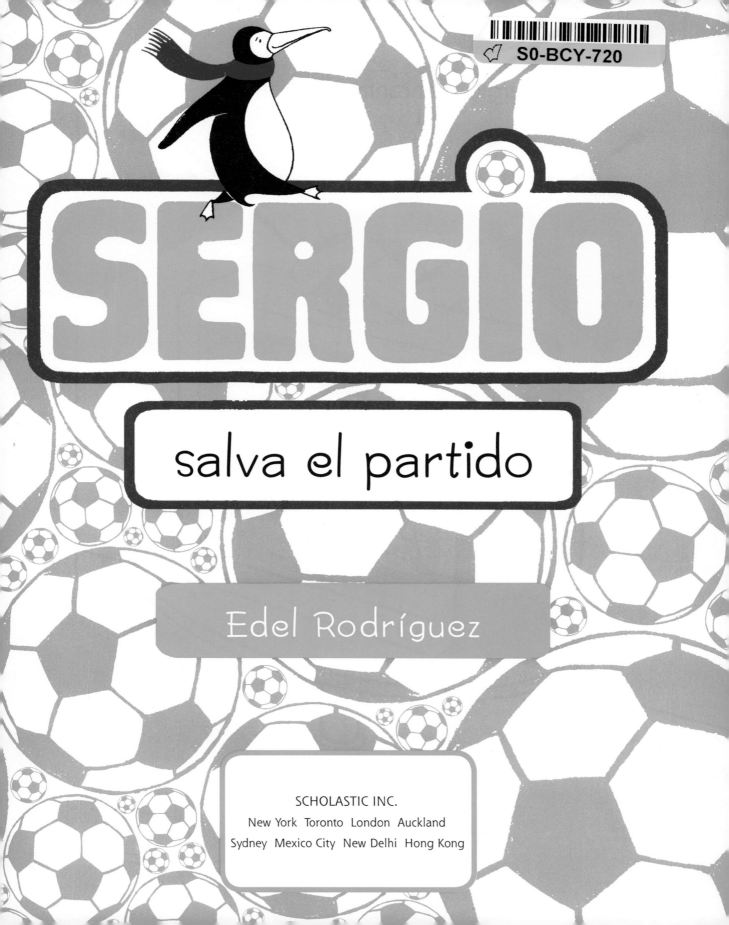

SERGIO

salva el partido

Edel Rodríguez

SCHOLASTIC INC.

New York Toronto London Auckland
Sydney Mexico City New Delhi Hong Kong

A Sergio le encanta el fútbol.

Hace pases

salta

defiende

cabecea

amaga

dribla

patea...

¡y anota un gol!

Es toda una estrella...

en sus sueños.

En la vida real...

se tropieza   se cae   se desploma

se prepara   patea

se resbala   se desliza   da una voltereta

¡y anota un gol!

Para el otro equipo.

Cuando juega con sus amigos,
siempre es el último en ser escogido.

—Mamá, nadie quiere jugar al fútbol conmigo —dice Sergio—.
Siempre me resbalo y me caigo.

—¡Hay mucho hielo, no es tu culpa! —dice su mamá—. ¿Por qué
no juegas ping-pong?

—Porque me encanta el fútbol —dice Sergio.

—¡Entonces intenta jugar de portero! Es una posición
muy importante.

¡A Sergio le encantó esa idea y salió de la casa
saltando para ir a jugar!

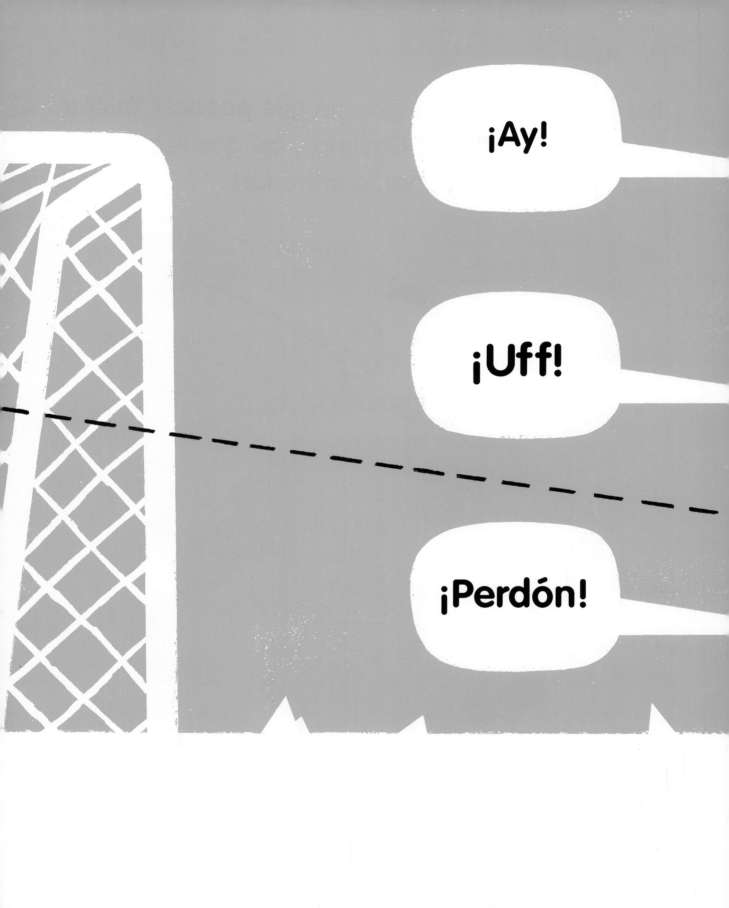

Sergio entrena mucho para la final, pero todo se le hace muy difícil, como de costumbre.

Entrena de día y de noche porque quiere estar listo
para la final. ¡Y con el paso de los días, va mejorando!

Llega el día de la gran final y los espectadores se preguntan cuál equipo ganará, ¿los Pingüinos o las Gaviotas?

El partido va...

y viene.

Las Gaviotas son GRANDES, pero el equipo de Sergio es ¡AGUERRIDO! A las Gaviotas no se les hace tan fácil como imaginaban.

Durante el partido, Sergio salva un gol tras otro.

¡Pero le anotan uno cuando, al tropezarse con su cola, deja que el balón vaya directo a la red!

A los Pingüinos les resulta muy difícil que el balón supere las alas de las Gaviotas.

¡Pero por fin logran hacerlo y anotan un gol!

Hacia el final del partido, el equipo de Sergio va ganando por un gol, pero hay un penalti a favor de las Gaviotas.

El jugador más grande de las Gaviotas va a patear. ¡La victoria depende de Sergio!

A medida que el balón se acerca
a la portería, Sergio recuerda todo
lo que ha practicado...

¡Los ojos en el balón!
¡La cabeza abajo!
¡Las alas arriba!

"¡TENGO QUE TAPAR
ESTE BALÓN!"

¡Y lo tapa, cómo no!

Los compañeros de equipo de Sergio lo levantan en hombros. ¡Por fin vencieron a las Gaviotas y ganaron el campeonato!

¡Todo el equipo vitorea y celebra la victoria con alegría!

Sergio quiere vitorear también, pero lo único que puede decir es...

¡MPFMMMPPPFFFMMMFFFmmmmmfffff!

Ahora sí, Sergio es toda una estrella.

A Jennifer y Sofía

12 11 10 9 8 7 6 5 4 3 2 1   10 11 12 13 14 15/0

Printed in the U.S.A.   08

First Scholastic Spanish printing, September 2010

The illustrations in this book were created with oil-based woodblock ink printed on paper, combined with digital media.